Les araignées

Melvin et Gilda Berger

Texte français d'Alexandra Martin-Roche

Photographies : Couverture : Hans Richard/Bruce Coleman Inc.; page 1 : John Shaw/Bruce Coleman Inc.; page 3 : Hans Richard/Bruce Coleman Inc.; page 4 : E.R. Degginger/Photo Researchers; page 5 : John Shaw/Bruce Coleman Inc.; page 6 : John Mitchell/Photo Researchers; page 7 : Michael Lustbader/Photo Researchers; page 8 : J. Carmichael/Bruce Coleman Inc.; page 9 : Dwight Kuhn; page 10 : Tom McHugh/Photo Researchers; page 11 : R. E. Pelhman/Bruce Coleman Inc.; page 12 : J. C. Carton/Bruce Coleman Inc.; page 13 (à gauche) : Hans Richard/Bruce Coleman Inc.; page 13 (à droite) : Linda V. Lewis/Bruce Coleman Inc.; page 14 (à gauche) : L. West/Bruce Coleman Inc.; page 14 (à droite) : Linda V. Lewis/Bruce Coleman Inc.; page 15 (à gauche) : Bob Jensen/Bruce Coleman Inc.; page 15 (à droite) : Stephen Dalton/Photo Researchers; page 16 : Bob Jensen/Bruce Coleman Inc.

Catalogage avant publication de Bibliothèque et Archives Canada

Berger, Melvin
Les araignées / Melvin et Gilda Berger; texte français d'Alexandra Martin-Roche.

(Lire et découvrir)
Traduction de : Spiders.
Pour les 6-8 ans.
ISBN 978-0-545-99175-9

1. Araignées--Ouvrages pour la jeunesse. I. Berger, Gilda
II. Martin-Roche, Alexandra III. Titre. IV. Collection.
QL458.4.B46514 2008   j595.4'4   C2008-902286-6

Édition publiée par les Éditions Scholastic, 604, rue King Ouest, Toronto (Ontario) M5V 1E1

5 4 3 2 1   Imprimé au Canada   08 09 10 11 12

Les araignées sont
extraordinaires.

Toutes les araignées fabriquent de la soie.

Certaines araignées se servent de la soie pour tisser des toiles.

Info-araignées
La soie de l'araignée peut
être plus résistante
que l'acier!

Les araignées piègent les insectes
dans leurs toiles.

Les araignées se nourrissent
d'insectes.

Info-araignées

Les araignées construisent leur nid de soie sous le sol ou sous l'eau.

Certaines araignées utilisent de la soie pour fabriquer des nids.

Certaines vivent dans des nids.

Info-araignées

Il y a de grosses araignées qui peuvent aussi manger de petites grenouilles!

Certaines chassent des insectes.

L'araignée ci-dessus a de gros yeux.

Info-araignées

Les araignées font partie de la famille des animaux appelés les arachnides.

Les araignées ne sont pas des insectes.

Les araignées ont 8 pattes alors que les insectes n'en ont que 6.

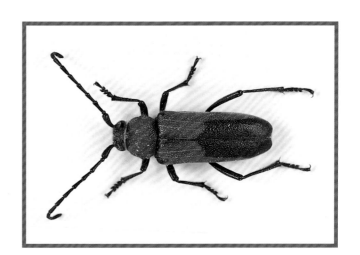

Info-araignées

Les tiques et les scorpions sont aussi des arachnides.

Le corps des araignées comprend 2 parties alors que celui des insectes en a 3.

Les araignées n'ont pas d'ailes.

Qu'est-ce que c'est? Une araignée
ou un insecte?